Y0-BYA-825

Patatras !

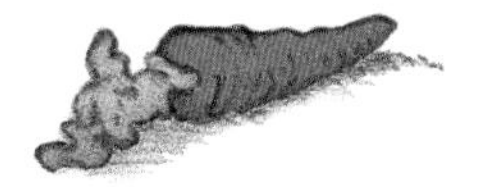

ISBN 978-2-211-22462-8

Loi numéro 49 956 du 16 juillet 1949 sur les publications
destinées à la jeunesse : septembre 1994
Dépôt légal : novembre 2015
Imprimé en France par Pollina à Luçon - L72864

Édition spéciale non commercialisée en librairie

Philippe Corentin

Patatras !

l'école des loisirs

11, rue de Sèvres, Paris 6e

Oh là là ! Il n’a pas l’air content, l’animal.
Qu’est-ce qu’il a ?

Il a qu'il a faim. C'est un loup !
Un méchant, pas un gentil. Un gros méchant même. Ah mais !

Il aimerait bien ça, être gentil, mais avec qui ?
Personne ne l'aime. On se moque de lui, on lui fait des farces…

Bon, c'est vrai, il n'est pas aussi gentil qu'il le voudrait,
mais il n'est pas non plus aussi méchant qu'il le pourrait.

Il ne joue au gros méchant que quand il a faim.

Là, attention ! Il a l'air rigolo comme ça,
mais il ne faut pas s'y fier. Il a méchamment faim.

C’est un glouton, un gros glouton.

Normalement, un terrier plein de carottes, c’est plein de lapins.

Il devrait y en avoir partout, des lapins. C'est bizarre.
Où sont-ils ?

C’est l’heure du déjeuner. Ils devraient tous être à table.
Il a faim, le loup.

Il a encore plus faim que tout à l'heure.

C'est un goinfre. C'est un sauvage.
C'est une bête !

Il n'aime rien ni personne.

Ah, si ! Il aime bien faire joujou,
mais personne ne veut jamais jouer avec lui.

Évidemment, personne ne l'aime !

Tiens, aujourd'hui par exemple, c'est son anniversaire.
Qui y a pensé ? Personne !

C'est un mal-aimé.

On le fuit, on l'ignore. Ça le rend tout triste.
Il en pleurerait.

Le voilà ! Le voilà !

Patatras ! Le voilà par terre !

Joy-yeux an-ni-ver- sai- re le loup

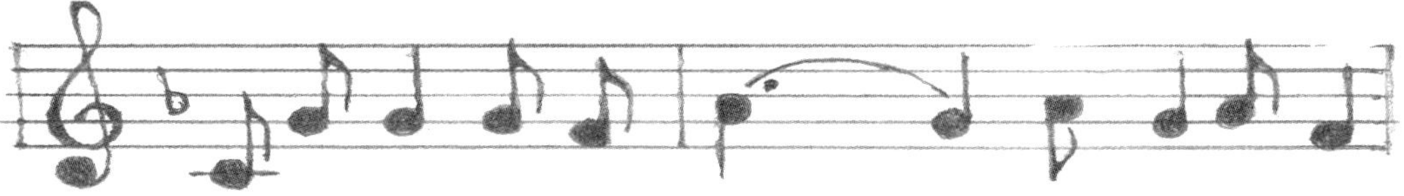

Joy-yeux an-ni-ver- sai- re et tout et tout

Oh là là ! Il a l'air content, le loup.
Heureux ! Ça, c'est un bel anniversaire !